Ce que
papa m'a dit

À ma mère.

AD

À Jean-Yves.

PM

© 2016 Albin Michel Jeunesse – 22, rue Huyghens, 75014 Paris – www.albin-michel.fr – Loi n° 49-956 du 16 juillet 1949 sur les publications destinées à la jeunesse – Dépôt légal : second semestre 2016 – N° d'édition : 22277/8 ISBN-13 : 978 2 226 32843 4 – Imprimé en France chez Pollina s.a. - 83062

Astrid Desbordes

Pauline Martin

Ce que papa m'a dit

Albin Michel Jeunesse

Archibald regarde les hirondelles dans le ciel.
Elles vont de l'autre côté de la Terre,
explique son papa.
Moi aussi je pourrai aller aussi loin,
quand je serai grand ? demande Archibald.
Encore plus loin que ça, répond son papa.

Mais si le vent se lève ?
demande Archibald.

Si le vent se lève, répond son papa,
le vent passera.

Et si les vagues m'éclaboussent ?
demande Archibald.

Si les vagues t'éclaboussent,
répond son papa,
ce n'est que de l'eau.

Et si la nuit tombe?
demande Archibald.

Si la nuit tombe, répond son papa,
le jour n'est pas loin.

Et si j'ai peur ?
demande Archibald.

Si tu as peur, répond son papa,
ne la laisse pas gagner.

Et si je me perds? demande Archibald.

Si tu te perds, répond son papa,
ce n'est qu'un autre chemin.

Et si je m'ennuie ?
demande Archibald.

Si tu t'ennuies, répond son papa,
rapproche-toi et observe, tu seras surpris.

Et si le tonnerre gronde ?
demande Archibald.

Si le tonnerre gronde,
répond son papa,
il ne déracine pas.

Et s'il y a de la boue ? demande Archibald.

S'il y a de la boue, répond son papa,
regarde les étoiles.

Et si la rivière est trop grosse ?
demande Archibald.

Si la rivière est trop grosse,
répond son papa, prends de l'élan.

Et si je suis tout seul?
demande Archibald.

Si tu es tout seul, répond son papa,
ouvre les yeux et écoute bien,
il y a quelqu'un.

Et s'il y a trop de monde ?
demande Archibald.

S'il y a trop de monde,
répond son papa,
mets-toi de côté.

Et si je tombe ? demande Archibald.

Si tu tombes, répond son papa,
sois fort et ne cache pas tes larmes.

Et si je suis trop petit ?
demande Archibald.

Si tu es trop petit, répond son papa,
sois grand au-dedans.

Et si tu es loin ? demande Archibald.

Si je suis loin, répond son papa,
c'est que tu as mal regardé.

Et si je suis triste ? demande Archibald.

Si tu es triste, répond son papa,
marche lentement,
la joie reviendra.

Et j'arriverai à faire un si long voyage ?
demande Archibald.

Bien sûr, répond son papa.
Mais rien ne presse,
tu as toute la vie pour y arriver.